An Maicín Cliste

Mary Arrigan
a scríobh agus a mhaisigh

Micheál Ó Fathaigh
a rinne an leagan Gaeilge

Oiriúnach do pháistí ó 10 mbliana go 13 bliana d'aois

Baile Átha Cliath

Bhí cónaí ar bhaintreach bhocht, darbh ainm Marta, ar fheirm bheag. Bhí seachtar clainne aici. Fiachra ab ainm don mhac ba shine. Ón uair a fuair a athair bás thit cúram na feirme ar Fhiachra. In ainneoin gur oibrigh sé go han-chrua ó dhubh go dubh bhíodh ocras air féin, ar a mháthair agus ar na páistí i gcónaí.

Bhí an saol chomh dona sin gur ghlaoigh a mháthair ar Fhiachra lá amháin. Thug sí beartán dó. Istigh sa bheartán bhí scuab ghruaige, scuab fiacla, péire stocaí, geansaí agus píosa de cháis liath.

'A Fhiachra, a mhaicín,' arsa a mháthair leis, 'tá tusa sean go leor le hobair a fháil agus airgead a shaothrú. Téigh chuig mo chol ceathrair, Micilín Mór. Tá sé lofa le hairgead ach is sprionlóir amach is amach é. B'fhéidir go dtabharfadh sé obair duit. Tabhair an mapa seo leat.

'Má bhuaileann tú bóthar anois beidh tú i dteach Mhicilín faoi cheann trí lá. Slán leat, a mhaicín. Fainic thú féin ar na robálaithe agus bí cúramach ar na bóithre.'

Is iomaí poll mór a bhí ar an mbóthar ach níor thit Fiachra isteach in aon cheann acu ar a bhealach go teach Mhicilín. Níor bhuail sé le robálaí ar bith ar a bhealach tríd an bhforaois cé go raibh sé cinnte go leor de go raibh siad ag breathnú air trí dhorchadas na gcrann.

'Tá mé chomh tanaí gioblach sin nach fiú mé a robáil,' ar seisean leis féin.

Agus bhí an ceart ar fad aige, ar ndóigh.

Bhain Fiachra ceann scríbe amach ar an tríú lá.

'Is mise Fiachra, mac do chol ceathrair, Marta,' ar seisean le Micilín Mór. 'Aon seans go dtabharfá obair dom?'

Rinne Micilín Mór a mhachnamh ar an scéal. Bhí cónaí air ina aonar agus is cinnte go dtaitneodh an comhluadar leis. Agus ba bhreá an rud é cabhair a bheith aige chun obair na feirme a dhéanamh.

'Maith go leor,' ar seisean. 'Tá obair agat mar gur tú maicín Mharta.'

Bhí áthas ar Fhiachra obair a fháil. Ach níorbh aon amadán é.

'Tá sin go hiontach,' ar seisean. 'Ach tá rud amháin le socrú i dtosach: níl sé i gceist agam obair a dhéanamh gan luach saothair. Cén pá a thabharfaidh tú dom?'

Rinne Micilín a mhachnamh arís. Dá mbeadh bealach ar bith ann le hobair a bhaint as an ngarsún seo saor in aisce thiocfadh sé féin air.

'Maith go leor,' ar seisean agus meangadh sleamhain ar a bhéal. 'Is fear cóir mé. Má fheicimse go bhfuil tú chomh maith liom féin ag obair íocfaidh mé go maith thú.'

'Ceart go leor,' arsa Fiachra. 'Feicfidh tú gur mise an t-oibrí is fearr dá bhfaca tú riamh.'

Mise á rá leat gur chuir sé lena fhocal. Ba chuma cé chomh crua is a d'oibrigh Micilín Mór d'oibrigh Fiachra a dhá oiread níos crua.

D'éiríodh sé le glaoch an choiligh, lasadh sé an tine agus réitíodh sé an bricfeasta. Scuabadh sé an t-urlár agus thugadh sé bainne don chat. Ansin théadh sé go dtí an scioból chun na ba a bhleán. Agus le titim na hoíche, tar éis dinnéir, d'insíodh sé scéalta greannmhara do Mhicilín Mór.

Bhí Micilín Mór thar a bheith sásta le Fiachra. Thaitin a chomhluadar go mór leis. Ach bhí Fiachra buartha. Bhí cúpla mí d'obair dhian déanta aige ar an bhfeirm agus ní raibh oiread is pingin rua faighte aige ó Mhicilín Mór.

Bhí deireadh an fhómhair ann agus bhí sé thar am stór an gheimhridh a cheannach. Bhí an bia gann, bhí poill sa díon, bhí easpa pluideanna orthu agus bhí ábhar tine ag teastáil go géar.

'Shíl mé go raibh tusa saibhir,' arsa Fiachra le Micilín ag am tae tráthnóna amháin agus práta bog an duine á ithe acu. Lean sé air: 'Saibhir, go deimhin! Tá an teach seo go hainnis. Bímse préachta leis an bhfuacht gach oíche. Tá pá dhá mhí ag dul dom. Caithfidh go gceapann tú gur amadán cruthanta mé. Ach ní chuirfidh mé suas leis níos mó. Rachaidh mé ar ais chuig mo Mhamaí.'

Tháing féachaint chráite i súile Mhicilín.

'Tá a fhios agam, tá a fhios agam,' ar seisean go brónach. 'Ach tá faitíos orm.'

'Faitíos!' arsa Fiachra. 'Cén faitíos a bheadh ortsa?'

‘Faitíos roimh na robálaithe. Tá an fhoraois dubh le robálaithe a bhainfeadh an tsúil as do chloigeann. Is amhlaidh atá mo chuid airgid i bhfolach i bpluais ar an taobh thall den fhoraois. Má théimse ann chun é a fháil robálfar mé ar mo bhealach abhaile.’

‘Ach in ainm Chroim,’ arsa Fiachra, ‘conas gur ansin atá do chuid airgid?’

Lig Micilín Mór osna.

‘Cúpla mí ó shin dhíol mé scata beithíoch ar an aonach. Chuir mé an t-airgead i bhfolach i bpluais mar bhí a fhios agam dá mbeadh an t-airgead liom agus mé ag teacht ar ais tríd an bhforaois nach bhfágfaí pingin agam.’

'Gheobhaidh mise do chuid airgid duit,' arsa Fiachra.

'Ag magadh fúm atá tú!' arsa Micilín. 'D'íosfaidís sin i do bheatha thú.'

'Níl eagla ar bith ormsa roimh na robálaithe,' arsa Fiachra. 'Tabhair eolas an bhealaigh dom agus an seanchapall sin amuigh.'

'Tá tú as do mheabhair,' arsa Micilín. 'Ní thógfadh ach amadán críochnaithe seanchapall tanaí de rogha ar stail bhreá.'

'Bíodh muinín agat asam,' arsa Fiachra.

Ansin thóg sé stoca mór tiubh a bhí ar crochadh os cionn na tine. Fuair sé canna stáin agus chuir sé isteach sa stoca é. Amach leis.

Ní raibh sé i bhfad san fhoraois nuair a léim cúigear – triúr fear agus beirt bhan – amach as taobh thiar de chrann darach. Ní fhaca sé dream daoine chomh gránna gioblach leo riamh.

'Cé tá againn anseo?' arsa an fear ab airde díobh. 'Ach fan – nach tusa an garsún tanaí ocrach a ghabh an bealach seo cúpla mí ó shin?'

'Déanaimis mionfheoil de agus cuirimis san anraith é,' arsa an fear ramhar.

'Ní bheidh aon ghá leis sin,' arsa an fear dubh – an ceannaire dar le Fiachra. 'Inseoidh sé dúinn cá bhfuil sé ag dul agus cén fáth a bhfuil sé ag dul ann.'

'M'anam nach rún ar bith é,' arsa Fiachra go séimh.

'Táimse ag dul chun airgead mo mháistir a fháil. Ansin rachaimid beirt go dtí an baile mór agus ceannóimid stór an gheimhridh.'

'Agus cén uair a bheidh tú ag filleadh?' arsa an fear dubh.

'Amárach,' arsa Fiachra.

'Ceart go leor. Imigh leat. Ní chuirfimid isteach ort.'

Ar aghaidh le Fiachra tríd an bhforaois.

'Nár cheart dúinn é a leanúint?' arsa duine de na mná.

'Ní gá é,' arsa an ceannaire agus é ag gáire. 'Ní bheidh le déanamh againn ach breith air nuair a thiocfaidh sé an bealach seo amárach. Ar aon nós ní rachaidh an seanchapall sin i bhfad.'

Níorbh fhada gur tháinig Fiachra ar an bpluais ina raibh stór airgid Mhicilín.

Leath na súile air mar nach bhfaca sé an méid sin airgid riamh roimhe sin ina shaol. Ba bhuachaill stuama é agus níor thóg sé ach an méid a bheadh ag teastáil chun stór an gheimhridh a cheannach.

'Tiocfaidh mé ar ais chun an chuid eile den airgead a thabhairt liom am éigin eile,' ar seisean leis féin.

Chuir sé na sabhrain i mála ach líon sé an canna leis na pinginí. Thit a chodladh air mar go raibh sé tuirseach traochta. An mhaidin dár gcionn dhún sé béal na pluaise le clocha móra. In airde leis ar an gcapall agus thosaigh sé ar an turas abhaile.

Um thráthnóna stop sé ar imeall na foraoise. Las sé tine.
Chaith sé na pinginí isteach sa tine. Nuair a bhí siad
dearg te thóg sé le cloch iad agus chuir iad sa channa.
Tharraing sé an stoca aníos ar an gcanna agus
ar aghaidh leis isteach san fhoraois.

Ba ghearr go bhfaca sé an cúigear robálaithe os a chomhair amach ach an uair seo bhí siad ag marcaíocht ar chúig chapall bhreátha.

'Bhuel,' arsa an fear ramhar, 'an bhfuair tú an t-airgead?'

'Is cinnte go bhfuair,' arsa Fiachra. 'Tá sé sa stoca.'

'Tá sé seo ró-éasca ar fad,' arsa an fear ard. 'Amadán is ea é!'

'Tabhair dom an stoca,' arsa an ceannaire.

'Ach cad a dhéanfaidh mo mháistir gan a chuid óir?' arsa Fiachra.

'Ór, a deir tú!' arsa na robálaithe d'aon ghuth.

'Tabhair dúinn é gan a thuilleadh moille,' arsa an ceannaire go borb, 'nó déanfaimid bia do na madraí díot.'

'Níl neart air, is dócha,' arsa Fiachra. 'Bíodh sé agaibh.'

Leis sin chaith sé an stoca go hard san aer. Bhí na boinn fós dearg te agus bhí siad ag lonrú sa leathdhorchadas agus iad ag titim go talamh.

'Ór buí, ór álainn,' a bhéic na robálaithe agus léim siad de mhuin na gcapall.

'Ó, a thiarcais!'

'Ó bhó bhó bhóóóóóóóó!'

'Ó mo léan, mo léan go deo!'

'Ó, a dheabhail, a thiarcais!'

'Ó, mo mhéara bochta dóite!'

Bhí na robálaithe ag léim agus ag damhsa le pian. Bhí a méara agus a n-ordóga dóite loiscthe. Rinne Fiachra gáire. Cheana féin bhí sé ar mhuin capaill de chuid na robálaithe.

'A leibidí gan chiall,' ar seisean, 'tá deireadh libh. Aithneofar sibh go héasca agus bhur méara dóite. Caithfear i bpríosún sibh.'

Leis sin rug sé ar shrianta na gcapall eile agus as go brách leis.

Rinne Micilín Mór damhsa na gcoiníní nuair a d'fhill Fiachra agus an t-airgead aige, gan trácht ar chapaill na robálaithe.

'Is iontach an garsún tú,' ar seisean. 'Roinnfidh mé mo chuid airgid agus brabach na feirme leat. Gheobhaidh tú leath an bhrabaigh feasta mar go ndéanann tú leath na hoibre.'

Ba mhaith an maicín é Fiachra gan aon dabht. Tamall ina dhiaidh sin thug sé cuairt ar a Mhamaí. Bhronn sé suim mhaith airgid uirthi agus thug bronntanais di féin agus do na páistí uile. Cad é mar áthas a bhí uirthi. Anois bhí sí in ann neart bia agus éadaigh a cheannach. Bhí gliondar ar na páistí.

'Nach iontach an saol é,' ar siad. 'Slán go deo leis an droch-bhia, le prátaí boga, le cabáiste crua agus le seanbhagún gan bhlas.'

Bhí saol breá ag Fiachra ón lá sin amach. Bhí Micilín Mór an-mhórálach as mac cliste a chol ceathrair.

'Éirim aigne! Sin é é! Éirim aigne agus gliceas. Tá na buanna sin agat gan dabht!' arsa Micilín. 'Ar ndóigh, is ó mhuintir do mháthar a thug tú na buanna sin uile leat.'

Agus céard faoi na robálaithe, a deir tú? Ba ghearr gur tháinig na gardaí orthu. Bhí an t-olagón agus an screadach le cloisteáil ar fud na foraoise. Caitheadh isteach i bpríosún iad. Chaith siad a gcuid ama ansin ag cniotáil pluideanna olla – nuair a chneasaigh na méara acu, ar ndóigh!